VISAGES 2

Savoir faire

Judy Mas

CONSEILLER
G. Robert McConnell

Éditions Addison-Wesley

Don Mills, Ontario • Reading, Massachusetts
Menlo Park, Californie • New York • Wokingham, Angleterre
Amsterdam • Bonn • Sydney • Singapour
Tokyo • Madrid • San Juan

CONCEPTION GRAPHIQUE : Pronk&Associates

COUVERTURE : Pronk&Associates
CONCEPTION ET PHOTOGRAPHIE :
Pronk&Associates
ILLUSTRATION : Kim LaFave
PHOTO : Hans Blohm/Masterfile

PRÉPARATION ÉLECTRONIQUE :
Pronk&Associates

CHARGÉE DE PROJET : Beverley Biggar

RÉDACTRICE : Diana Kaan

Nous tenons à remercier tout particulièrement les
enseignants et les consultants suivants pour leurs
précieuses contributions à ce projet :

Wendy Carr
Coquitlam, Colombie-Britannique

Patricia Connolly
Halifax, Nouvelle-Écosse

Patsy Hammond
Swift Current, Saskatchewan

Bonnie Larson-Knight
Oshawa, Ontario

Graham Mulligan
Surrey, Colombie-Britannique

Nikole Perreault
Oshawa, Ontario

Judy Persson Thomas
Calgary, Alberta

Un merci tout spécial aux enseignants et
aux élèves du Conseil des écoles séparées
catholiques de la région de Durham, Ontario,
et du Conseil scolaire de Surrey, Colombie-
Britannique.

Pearson Education Canada

ISBN 0 – 201 – 57409 – 8

Imprimé au Canada

Ce livre est imprimé sur du papier sans acide.

8 9 10 FP 03 02 01

Dans ce livre...

Bon appétit!

Chez Antonio

Découvrez la vraie cuisine italienne!

Dégustez nos pizzas, nos pâtes et nos salades!

Salades

Salade César — 3, 50 $
servie avec vinaigrette César crémeuse

Salade du jardin — 2, 50 $
servie avec vinaigrette française ou italienne

Pâtes
servies avec pain chaud à l'ail

Lasagnes	6, 75 $
Raviolis	6, 50 $
Spaghettis	5, 95 $

Pizzas

	Petite	Moyenne	Grande
Simple	7, 00 $	7, 50 $	8, 00 $
Hawaïenne	8, 00 $	8, 50 $	9, 00 $
Mexicaine	8, 00 $	8, 50 $	9, 00 $
Végétarienne	7, 50 $	8, 00 $	8, 50 $
De luxe	9, 00 $	9, 50 $	10, 00 $
Fruits de mer	8, 50 $	9, 00 $	9, 50 $

Essayez notre nouvelle sauce piquante!

Garnitures *Fraîches! Savoureuses!*

Ananas • Anchois • Bacon • Bœuf • Champignons
Crevettes • Fromage • Jambon • Oignons • Olives noires
Olives vertes • Pepperoni • Piment rouge
Poivrons verts • Saucisse italienne • Tomates

Boissons

	Petit	Grand
Boissons gazeuses	1, 15 $	1, 35 $
Lait	1, 25 $	1, 50 $
Jus	1, 25 $	1, 75 $
Eau minérale	1, 99 $	
Thé	0, 99 $	
Café	0, 99 $	
Chocolat chaud	1, 10 $	

Desserts

Crème glacée - 2 boules — 1, 75 $
Vanille ou chocolat

Gâteau au chocolat — 2, 60 $

Tarte aux pommes — 2, 95 $

Service de livraison

Dans 20 minutes ou c'est gratuit!

Appelez-nous!
555-1111

Chez Lucie

6

QUE C'EST BON!

LA PIZZA AUX FRUITS DE MER
De la sauce tomate, du fromage, des crevettes.

LA PIZZA MEXICAINE
De la sauce tomate, du fromage, du bœuf haché, des champignons, des oignons, des olives noires, des olives vertes, des champignons, du piment rouge, des poivrons verts, des tomates.

LA PIZZA VÉGÉTARIENNE
De la sauce tomate, du fromage, des champignons, des oignons, des olives noires, des olives vertes, des poivrons verts, des tomates.

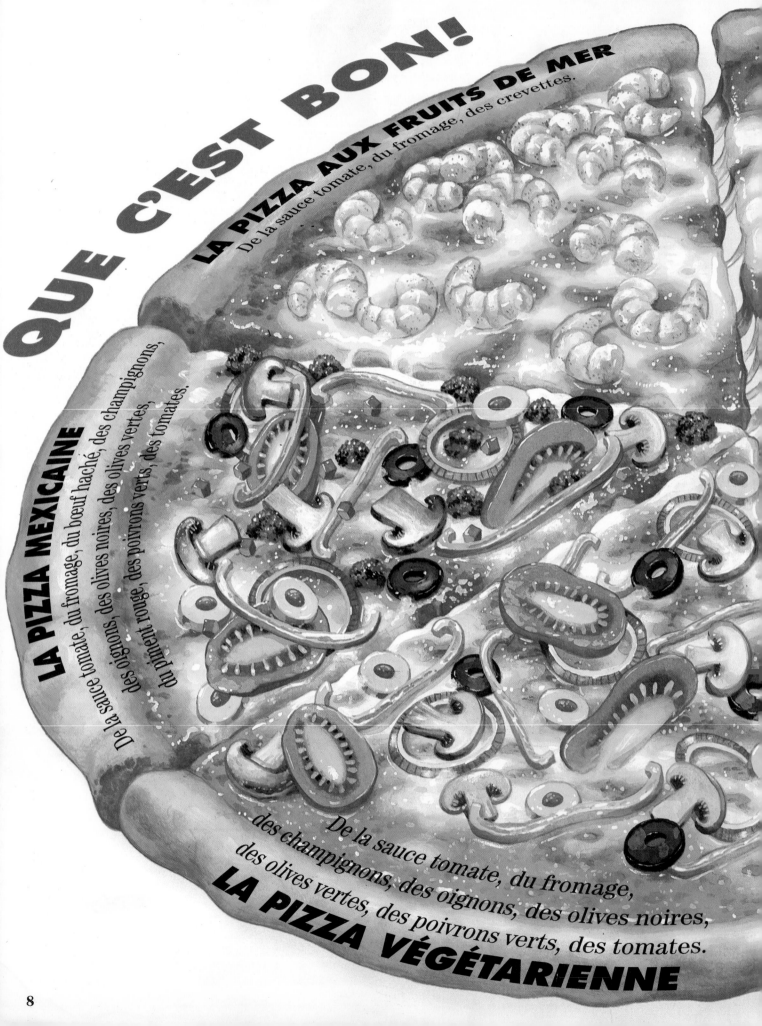

LA PIZZA SIMPLE
De la sauce tomate, du fromage.

LA PIZZA HAWAÏENNE
De la sauce tomate, du bacon, du jambon,
de l'ananas, du fromage.

LA PIZZA DE LUXE
De la sauce tomate, du fromage,
de l'ananas, des anchois, du bacon, du bœuf haché,
des champignons, des crevettes, du jambon, des oignons,
des olives noires, des olives vertes, du pepperoni, du piment rouge,
des poivrons verts, de la saucisse italienne, des tomates.

9

Chez Antonio

Bonjour et bienvenue au restaurant Chez Antonio. Je suis Antonio, chef extraordinaire! Aujourd'hui, je fais une pizza. Pour faire la pizza, j'ai besoin de sauce tomate, de fromage, d'oignons, de pepperoni, de poivrons, de champignons et de jambon. Voici ma recette.

Préparez la pâte.

Allez...

hop!

C'est facile!

Étalez de la sauce tomate sur la pâte. Ma sauce tomate est délicieuse!

Coupez beaucoup d'oignons.

Mettez les oignons
sur la sauce tomate...

puis ajoutez beaucoup
de pepperoni,

...des poivrons verts,

et du fromage.

...un peu de jambon

...des champignons,

Mettez la pizza
dans un four chaud.

Attendez
quinze minutes.

Et voici la pizza italienne
de Chez Antonio.

Miam! Miam! J'ai faim!

Au revoir, les amis!

Ma recette préférée

Bonjour! Je m'appelle Caroline.
J'aime le brocoli.
Je fais une pizza pour ma famille.
Voici ma recette de pizza au brocoli.

Préparez la pâte.
Étalez de la sauce tomate sur la pâte.
Coupez le brocoli en petits morceaux.
Mettez le brocoli sur la sauce tomate.
Ajoutez beaucoup de fromage.
Mettez la pizza dans un four chaud.
Attendez quinze minutes.

La pizza au brocoli

Préparez la pâte.
Étalez de la sauce tomate sur la pâte.
Coupez le brocoli en petits morceaux.
Mettez le brocoli sur la sauce tomate.
Ajoutez beaucoup de fromage.
Mettez la pizza dans un four chaud.
Attendez 10 minutes.

Voilà la pizza au brocoli.

Ah non! Du brocoli! Je n'aime pas le brocoli.

Je m'appelle Sophie.
Voici mon chien Minos.
Je fais deux petites pizzas.

Une pizza pour moi et une pizza pour Minos.
Minos aime la pizza. Voici ma recette.
Préparez la pâte pour deux pizzas.
Une pour moi. Une pour Minos.
Étalez de la sauce tomate sur les pâtes.

Mettez du bœuf sur la sauce.
Du bœuf pour moi.
Du bœuf pour Minos.
Ajoutez de la saucisse italienne.
De la saucisse pour moi.
De la saucisse pour Minos.

Salut! Je m'appelle David.
Je fais une pizza spéciale.
Ma pizza est comique.
C'est la pizza «Tête de clown».
Voici la recette.

Préparez la pâte.
Étalez de la sauce tomate sur la pâte.
Dessinez un visage :
   Mettez des olives noires pour les yeux.
   Mettez des poivrons pour la bouche.
   Mettez du pepperoni pour le nez.
   Ajoutez beaucoup de fromage
     pour les cheveux.
Mettez la pizza dans un four chaud.
 Attendez quinze minutes.

La pizza «Tête de clown»

Préparez la pâte.
Étalez de la sauce tomate sur la pâte.
Dessinez un visage:
Mettez des olives noires pour les yeux.
...poivrons pour la bouche.
...un pour le nez.
...de fromage pour les cheveux.
...un four chaud.
...minutes.

Voilà la pizza «Tête de clown».

Bonne fête, Thomas!

Mettez du fromage.

Ouah!

Mais, qu'est-ce qu'il y a?
...D'accord. Ajoutez des
biscuits pour chiens...
pour Minos, pas pour moi.

LA CUISINE INTERNATIONALE

du falafel

du humus

de la salade horiatiki

des souvlakis

du sushi

du tempura

A la cuisine japonaise   B la cuisine grecque
C la cuisine du Moyen-Orient   D la cuisine mexicaine
E la cuisine française   F la cuisine indienne

Les pizzas préférées

	Classe A	Classe B
la pizza aux fruits de mer	5	5
la pizza hawaïenne	3	7
la pizza de luxe	3	3
la pizza mexicaine	19	6
la pizza simple	5	12
la pizza végétarienne	1	5

Sondage fait auprès des élèves de deux classes de cinquième
année à l'école Lacerte, Saint-Boniface, Manitoba.

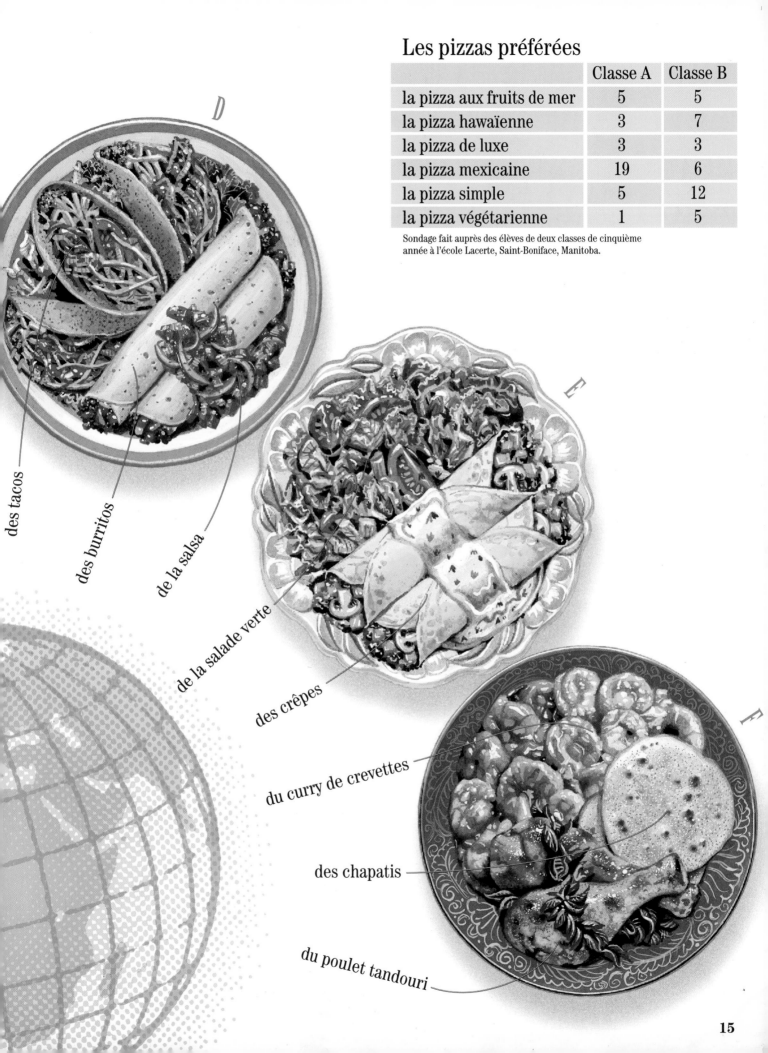

D

E

F

des tacos

des burritos

de la salsa

de la salade verte

des crêpes

du curry de crevettes

des chapatis

du poulet tandouri

15

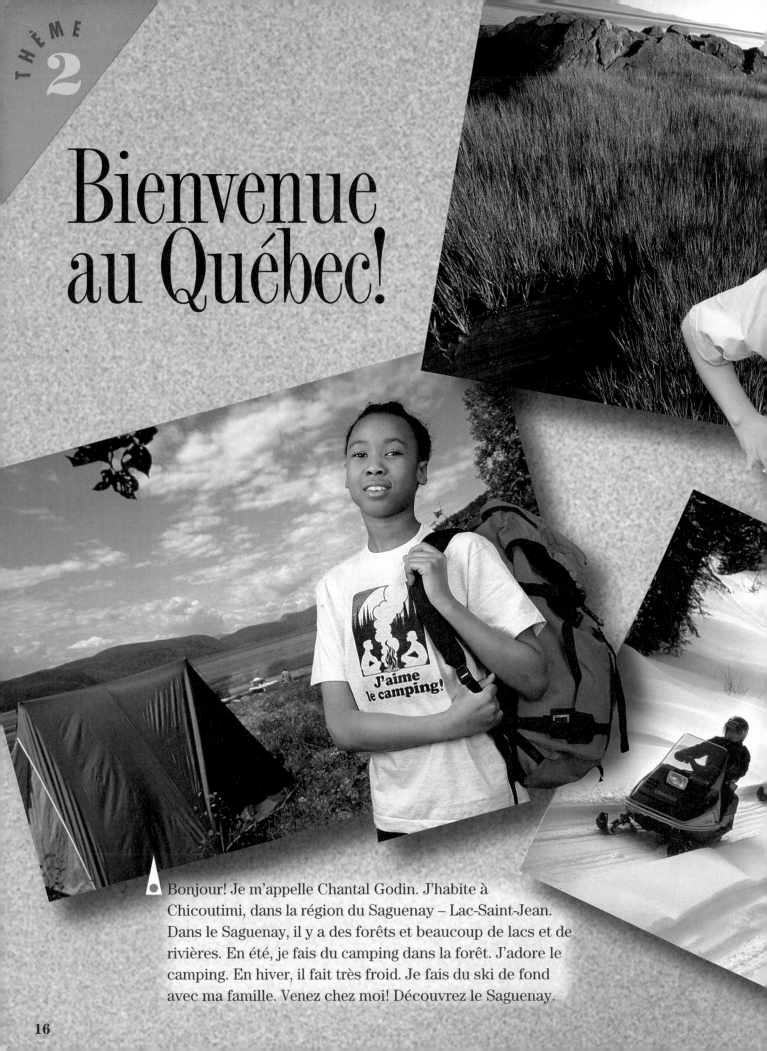

Bienvenue au Québec!

Bonjour! Je m'appelle Chantal Godin. J'habite à Chicoutimi, dans la région du Saguenay – Lac-Saint-Jean. Dans le Saguenay, il y a des forêts et beaucoup de lacs et de rivières. En été, je fais du camping dans la forêt. J'adore le camping. En hiver, il fait très froid. Je fais du ski de fond avec ma famille. Venez chez moi! Découvrez le Saguenay.

Bonjour! Je m'appelle Pierre Meunier. J'habite à Saint-Jovite dans la région des Laurentides. Dans les Laurentides, il y a des lacs et des montagnes. En hiver, je fais du ski alpin avec mes amis. En été, je fais de l'escalade avec ma mère. Venez chez moi! Visitez les Laurentides.

Salut! Je m'appelle Claude LaPointe. J'habite à Montréal. Montréal est une grande ville. En hiver, je fais du patinage à la patinoire du Vieux-Port. En été, je fais de la natation à la piscine du Parc olympique. Venez chez moi! Visitez Montréal.

Salut! Je m'appelle Jeanne Thibodeau. J'habite à Percé dans la région de la Gaspésie. En Gaspésie, il y a des plages, des forêts, des fermes et des montagnes. J'ai un cheval qui s'appelle Beauté. En été, je fais de l'équitation. En hiver, je fais de la motoneige. Je fais de la raquette aussi avec mon père. Venez chez moi! Explorez la Gaspésie.

Bonne fête, papa!

Venez chez moi!

Voici ma ville, Chicoutimi. Voici ma maison. Devant, il y a une rivière. C'est la rivière Saguenay. Ici, je fais du camping avec ma famille et mes amis près du lac Saint-Jean. En hiver, il neige beaucoup. Toute la famille fait du ski de fond à Bégin.

J'habite une vieille maison dans le village de Saint-Jovite. Voici mon village dans les montagnes des Laurentides. Voici mon père. En hiver, il travaille avec les touristes comme moniteur de ski. Ici, je fais du ski alpin au Mont-Tremblant avec mes amis. Je descends vite! Oh là là! C'est ma sœur Catherine.

J'habite dans une ferme près de Percé. Voici notre ferme. Me voici avec mon cheval Beauté. Nous faisons souvent des tours sur la plage. Ici, toute la famille visite le rocher Percé. C'est formidable! En hiver, il neige beaucoup. Voici mon père... il fait de la raquette.

Voici la ville de Montréal. Et voici mon appartement. Ma mère s'appelle Béatrice. J'ai deux sœurs, Lucie et Claudine. Il fait froid à Montréal en hiver. Voici le Stade olympique. Je nage souvent dans la piscine au Parc olympique. Je nage bien. Et me voici à La Ronde avec mes sœurs. Oh là là!

UN T-SHIRT À VOTRE GOÛT!

BIENVENUE. JE M'APPELLE MARIE-SOLEIL. JE SUIS PRÉSIDENTE DE LA COMPAGNIE T-SHIRTS INC. CHEZ NOUS, IL Y A UN GRAND CHOIX DE T-SHIRTS.

AUJOURD'HUI, JE TRAVAILLE POUR LA RÉGION DES ÎLES-DE-LA-MADELEINE.

23

Bienvenue à la boutique du sportif!

24

Achetez une paire de skis…
et obtenez une tuque gratuite!
Une journée seulement!

Les activités d'hiver

le ski alpin
1. des skis alpins
2. des bâtons de ski
3. des chaussures de ski

la raquette
4. des raquettes

le ski de fond
5. une tuque
6. des bâtons de ski
7. des skis de fond
8. des chaussures de ski

le patinage
9. des patins
10. des patins de hockey

la motoneige
11. un casque

le toboggan
12. un toboggan

Les activités d'été

l'équitation
13. une bombe
14. une cravache
15. des bottes

l'escalade
16. une corde
17. un piolet
18. des chaussures d'escalade

la natation
19. des lunettes de natation
20. une serviette de plage
21. des palmes

le canotage
22. un gilet de sauvetage
23. une pagaie

la randonnée
24. des chaussures de marche

le camping
25. une tente
26. une glacière
27. une lampe de poche
28. un sac de couchage

Le Québec

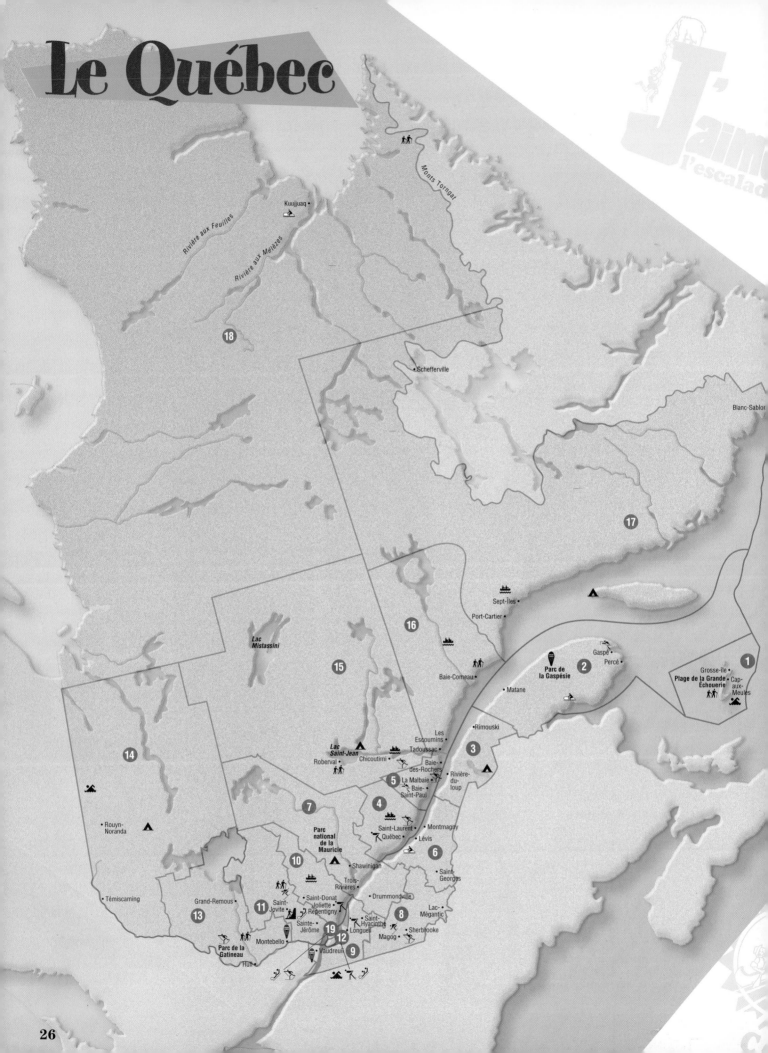

Monts Torngat

Rivière aux Feuilles

Rivière aux Mélèzes

Kuujjuaq

(18)

Schefferville

Blanc-Sablon

(17)

Sept-Îles
Port-Cartier

(16)

Lac
Mistassini

(15)

Baie-Comeau

Gaspé
Percé

Parc de
la Gaspésie

(2)

Grosse-Île
Plage de la Grande
Échouerie
Cap-
aux-Meules

(1)

Matane

Rimouski

(3)

(14)

Les
Escoumins
Tadoussac

Lac
Saint-Jean
Roberval   Chicoutimi

Rivière-
du-loup

Baie-
des-Rochers

(5) La Malbaie
Baie-
Saint-Paul

(4)

(7)

Rouyn-
Noranda

Parc
national
de la Mauricie

Saint-Laurent
Québec

Montmagny

Lévis

(6)

(10)

Shawinigan

Trois-
Rivières

Saint-
Georges

Témiscaming

Grand-Remous

(11) Saint-
Jovite

Saint-Donat
Joliette
Repentigny

Drummondville

(8)

Lac-
Mégantic

(13)

Sainte-
Jérôme

(19)
(12)

Saint-
Hyacinthe
Longueil

Magog

Sherbrooke

Montebello

(9)

Vaudreuil

Parc de
la Gatineau

Hull

Les activités préférées

	Classe A	Classe B
le camping	3	1
le canotage	1	0
l'équitation	0	0
l'escalade	2	1
la motoneige	1	0
la natation	5	10
le patinage	5	5
la randonnée pédestre	0	1
la raquette	0	0
le ski alpin	3	3
le ski de fond	0	0
le toboggan	1	1

Sondage fait auprès des élèves de deux classes de cinquième année à l'école du Carrefour, Dartmouth, Nouvelle-Écosse.

Légende

1. Îles-de-la-Madeleine
2. Gaspésie
3. Bas-Saint-Laurent
4. Québec
5. Charlevoix
6. Chaudière – Appalaches
7. Cœur-du-Québec
8. Estrie
9. Montérégie
10. Lanaudière
11. Laurentides
12. Montréal
13. Outaouais
14. Abitibi – Témiscamingue
15. Saguenay – Lac-Saint-Jean
16. Manicouagan
17. Duplessis
18. Nouveau-Québec – Baie-James
19. Laval

▲ le camping
🛶 le canotage
🐎 l'équitation
🧗 l'escalade
🛷 la motoneige
🏊 la natation

⛸ le patinage
🥾 la randonnée pédestre
🍦 la raquette
⛷ le ski alpin
🎿 le ski de fond
🛷 le toboggan

Québec Canada

Tourisme Québec

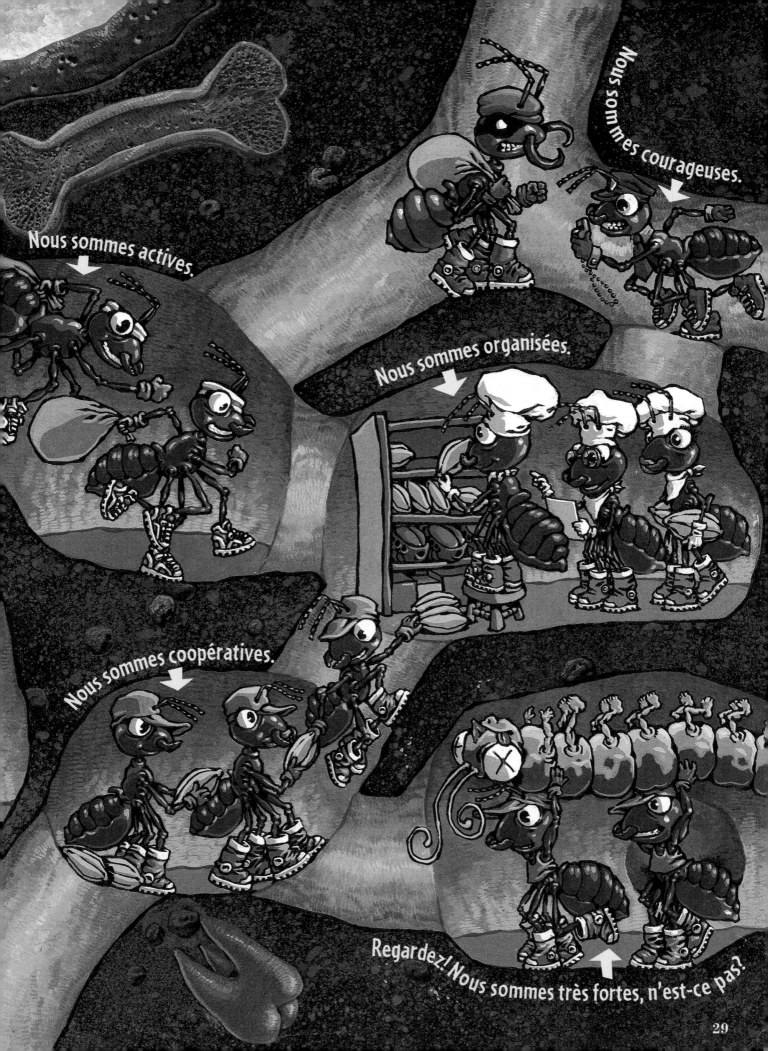

29

Chez nous

Nous sommes des insectes sociaux. Nous habitons dans un nid sous la terre. Le nid s'appelle une fourmilière. Dans la fourmilière, il y a beaucoup de galeries et de chambres. Nous travaillons ensemble dans les galeries et dans les chambres.

Voici la chambre de la reine. La reine est la mère de toutes les fourmis dans la fourmilière. Elle pond des milliers d'œufs.

Nous sommes serviables. Nous aidons la reine et tous les bébés. Il y a beaucoup de bébés. Chez nous, les bébés s'appellent les larves. Regardez! Nous nettoyons les larves.

Nous sommes très propres. Nous nettoyons les chambres et les galeries.

Nous sommes courageuses. Nous protégeons la fourmilière.

Nous sommes organisées. Nous rangeons les œufs dans différentes chambres de la fourmilière.

Nous sommes actives. Nous faisons de longues expéditions. Nous cherchons des provisions pour la famille.

Nous sommes coopératives et nous sommes très fortes. Nous transportons des provisions.

LES FOURMIS PARASOLS

❶ Voici la fourmilière des fourmis parasols.

❷ Les fourmis cherchent des provisions.

❸ Chaque fourmi découpe un petit triangle dans une feuille. Elle transporte le morceau de feuille à la fourmilière.

❹ Les feuilles sont comme des parasols, n'est-ce pas?

LES FOURMIS CHARPENTIERS

❶ Voici un arbre. La fourmilière des fourmis charpentiers est dans le tronc de l'arbre.

❷ Les fourmis font leur nid avec leurs mâchoires, qui sont fortes!

LES FOURMIS POT-DE-MIEL

1 Voici la fourmilière des fourmis pot-de-miel.

2 Les fourmis transportent des provisions à la fourmilière.

3 Les fourmis ont faim!

LES FOURMIS FILEUSES

1 Voici la fourmilière des fourmis fileuses.

2 Les fourmis font leur nid. Regardez! Elles travaillent ensemble.

À l'école

Bonjour! Je suis un élève. À l'école, j'ai beaucoup d'amis. Il y a aussi beaucoup de travail à faire. Nous travaillons ensemble. Nous sommes petits, mais nous sommes très intelligents et travailleurs.

Nous écrivons dans des cahiers.

Nous lisons.

Nous dessinons.

Nous chantons.

Nous aidons des amis.

Nous cherchons de l'information dans les livres.

Nous rangeons la salle de classe.

35

Les élèves et les fourmis – vive la différence!

Nous sommes intelligents!

Nous lisons.

Nous travaillons à l'ordinateur.

Et les fourmis?

1+1=

Nous sommes créatifs!

Nous dessinons.

Nous chantons.

Nous dansons.

Et les fourmis?

?

Nous sommes imaginatifs!

Nous jouons des rôles. Nous sommes comiques, n'est-ce pas?

Nous écrivons des histoires.

Et les fourmis?

Nous sommes sportifs!

Nous jouons au tennis.

Nous jouons au baseball.

Nous jouons au soccer.

Et les fourmis?

Mon livret

Les élèves et les fourmis –
semblables ou différents?

Mon Livret

Mon Livret

Nous sommes comme
les fourmis. Regarde!

Mon livret

Nous sommes
sportifs.

38

39

Chez les TERMITES

Comme les fourmis, les termites
sont des insectes sociaux.
Les termites habitent dans une termitière.
Il y a des termitières qui sont énormes.
Les termites travaillent ensemble dans
la termitière.

La mère des termites
s'appelle la reine.

Le père des termites s'appelle le roi.

Les bébés termites s'appellent des nymphes.

Les termites qui protègent la termitière
s'appellent des termites soldats.

Les termites aident la reine et les nymphes.
Ils rangent les provisions et ils
nettoient la termitière.

UNE FOURMILIÈRE

un termite

une abeille

DES INSECTES SOCIAUX

une fourmi

une guêpe

UN ENTOMOLOGISTE

Docteur André Francœur est entomologiste à l'Université du Québec à Chicoutimi. Il étudie les fourmis. Il écrit beaucoup d'articles sur les fourmis.

L'INSECTARIUM DE MONTRÉAL
4581, rue Sherbrooke est
Montréal, Québec
H1X 2B2

41

Il y a longtemps...

Les humains regardent les oiseaux dans le ciel.
Les oiseaux planent et ils volent dans les nuages.
Les humains sont rêveurs et imaginatifs.
Ils rêvent de voler comme les oiseaux.

Nous, nous sommes les oiseaux!
Nous montons.
Nous planons.
Nous volons dans les nuages.
Nous, nous sommes les oiseaux,
Contents et libres!

Regardez les oiseaux!
Ils montent.
Ils planent.
Ils volent dans les nuages.
Regardez les oiseaux!
Ils sont contents et libres!

Et nous rêvons de voler,
nous aussi, dans les nuages.

Des aviateurs et des aviatrices d'aujourd'hui

Les aviateurs et les aviatrices
volent dans les nuages.
Ils pilotent des jets, des hélicoptères
et des vaisseaux spatiaux.
Ils sont formidables!

▲ Voici les Snowbirds. Ils pilotent des
jets. Ils volent en formation.
Oh là là! C'est dangereux! Ils sont
très courageux.

▶ Voici des pilotes
d'hélicoptère. Ils sont très
confiants. Ils participent à
des opérations militaires.

▲ Voici Marc Garneau et Robert Thirsk, des astronautes
canadiens. Ils participent à des expériences scientifiques.
Ils sont aventureux.

Voici Jennifer Weissenborn, Joan Gordon et Kathy Wallocha. Elles pilotent des hélicoptères. Elles sont héroïques. Elles participent à des opérations de sauvetage.

Roberta Bondar et Julie Payette sont intelligentes. Elles sont aventureuses aussi. Elles voyagent dans l'espace. Elles voyagent dans des vaisseaux spatiaux.

Stefanie Crampton et Kim Reid pilotent des jets. Elles sont très indépendantes.

C'est l'année 1783. Voici les frères Montgolfier. Ils rêvent de voler comme les oiseaux.

Nous sommes les frères Montgolfier. Voici notre ballon.

Nous sommes en 1783, à Versailles, en France. Les frères Montgolfier inventent le ballon. Une nacelle est attachée au ballon. Un coq, un mouton et un canard sont des passagers. Écoutez!

Regardez! Oh là là! Bravo! Le ballon monte dans le ciel. Les frères Montgolfier sont fantastiques!

C'est l'année 1894. Voici Otto Lilienthal et ses amis. Ils planent dans les nuages en deltaplane.

Nous sautons et nous planons en deltaplane.

Nous sommes en 1894, à Lichterfelde, en Allemagne. Otto Lilienthal et ses amis sautent d'une falaise. Ils volent en deltaplane. C'est dangereux! Écoutez!

Je suis Otto Lilienthal. Et voici mes amis!

Regardez!
Ah! Ôôôôh!
C'est dangereux!
Ils planent commes les oiseaux!
Ils sont très courageux!

C'est l'année 1903. Voici Orville et Wilbur Wright. Ils inventent l'avion «Flyer».

> Nous sommes en 1903, à Kitty Hawk, aux États-Unis. C'est le premier vol mécanique. Finalement, les humains volent comme les oiseaux. Écoutez!

> Nous sommes les frères Wright. Voici notre avion. Nous volons dans le ciel!

> Regardez! Ils volent comme les oiseaux! Oh! ils sont braves!

C'est l'année 1969. Voici les astronautes d'Apollo 11, Neil Armstrong, Buzz Aldrin et Michael Collins.

Nous sommes en 1969, au cap Kennedy, aux États-Unis. Les astronautes d'Apollo 11 vont sur la Lune. Écoutez!

Cinq, quatre, trois, deux, un! Décollage!

Regardez! C'est incroyable! Les astronautes vont sur la Lune. Ils sont aventureux!

Le voyage d'Apollo 11

Je m'appelle Neil Armstrong. Je m'appelle Michael Collins.
Et moi, je m'appelle Buzz Aldrin. Nous sommes les astronautes d'Apollo 11.
Voici des photos de notre voyage sur la Lune.

Nous montons dans le ciel; nous sommes dans la capsule Apollo 11.

Nous sommes en orbite autour de la Terre.
Nous regardons la Terre.
Il y a des continents et des océans.

Nous voyageons dans l'espace.
Nous regardons les étoiles.
Elles sont brillantes.

Nous approchons de la Lune.

Nous arrivons sur la Lune.
Buzz Aldrin descend du module lunaire.

Nous marchons et
nous sautons sur la Lune.

Les frontières de demain

Aujourd'hui, nous regardons les étoiles
dans l'espace. Les étoiles sont brillantes
et mystérieuses. Nous rêvons de voyager
dans l'espace.

Nous, nous sommes les étoiles!
Nous brillons.
Nous tournons.
Nous volons dans l'espace.
Nous, nous sommes les étoiles,
Brillantes et mystérieuses!

Regardez les étoiles!
Elles brillent.
Elles tournent.
Elles volent dans l'espace.
Regardez les étoiles!
Brillantes et mystérieuses!

Et nous rêvons de voler,
nous aussi, dans l'espace.

FAISONS DU THÉÂTRE!

LES OISEAUX   LES HUMAINS

LES NARRATEURS

LES FRÈRES MONTGOLFIER

LES SPECTATEURS

OTTO LILIENTHAL ET SES AMIS

LES FRÈRES WRIGHT

LES ASTRONAUTES

LES HUMAINS   LES ÉTOILES

Un exercice d'évacuation

Tout le monde sort
dans la cour.

Georges Allaire! Ici!

Mme Dupont fait
l'appel.

Bravo! Hourra!

Excellent! Cinq minutes.

Un pompier parle
à toute l'école.

L'avertisseur sonne. C'est un exercice
d'évacuation. Tout le monde sort de
l'école. La classe de M. Laval monte
l'escalier. La classe de Mme Dupont
marche dans le corridor. La classe de
M. Martin descend l'escalier.

Une visite à la caserne de pompiers

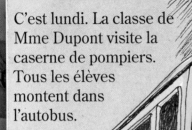

C'est lundi. La classe de Mme Dupont visite la caserne de pompiers. Tous les élèves montent dans l'autobus.

L'autobus arrive à la caserne.

Bonjour, mes amis. Je suis M. Monet, le capitaine. Je vous présente les pompiers : M. Roy, Mme Vaudrin, M. LaFontaine et Mlle Landry.

Bienvenue à la caserne!

Au rez-de-chaussée, nous avons une cuisine moderne et une grande salle à manger.

219

Nous avons aussi une grande salle de séjour. Nous regardons la télévision dans la salle de séjour.

Au premier étage, nous avons deux chambres à coucher. Voici ma chambre.

L'histoire du capitaine Monet

Je saute de mon lit. Je vais au garage.

C'est le jeudi 17 janvier.
Il y a un incendie au 475, rue de la Paix.
Toute la brigade répond à l'appel.

Nous montons dans les voitures.
Ma voiture va vite.

Nous arrivons chez la famille LaPlante.
Toute la famille est dans le jardin.

Il fait chaud dans la maison.
Il y a beaucoup de flammes et de fumée.
M. LaFontaine entre dans la maison.
Il va dans la cuisine. Sa partenaire,
Mme Vaudrin, va aussi dans la cuisine.

Je vais dans la cuisine!

Moi aussi!

Je vais sur le toit!

Moi aussi!

Mlle Landry monte sur une échelle. Elle va sur le toit
de la maison. M. Roy, son partenaire, va avec elle.

Après une heure, l'incendie est éteint.

475, rue

LaPlante
475, rue de la Paix

1 h 45   1 h 46   1 h 49   1 h 52   1 h 55

de la Paix

1 h 59   2 h 03   2 h 06   2 h 10   2 h 14

LaPlante
475, rue de la Paix

LaPlante
475, rue de la Paix

L'histoire de Sophie LaPlante

Ma chambre est au premier étage.
Je dors dans ma chambre.

À 2 h, le détecteur de fumée sonne.
Je saute de mon lit.

Je touche la porte de
ma chambre. La porte est chaude.

Je sors mon échelle.

J'ouvre ma fenêtre.

J'attache mon échelle à la fenêtre.

Toute la famille est dans le jardin.

Je descends sur mon échelle.

La brigade de pompiers arrive.

Chez moi

Voici ma famille : mon père Gilbert, ma sœur Claudine et moi. Je m'appelle Guy.

Voici ma maison. Au sous-sol, nous avons une chambre à coucher et une salle de bains. Au rez-de-chaussée, nous avons une cuisine, une salle de séjour, un salon, une salle à manger et une salle de bains. Au premier étage, nous avons deux chambres à coucher et une salle de bains.

Voici ma chambre au sous-sol. Voici la chambre de ma sœur et la chambre de mon père.

Pour la sécurité, nous avons trois détecteurs de fumée. Les détecteurs sont dans les corridors. La nuit, toute la famille ferme les portes des chambres à coucher.

Nous avons des plans d'évacuation. Voici le plan de mon père... et le plan de ma sœur... et voici mon plan.

Le premier étage

Le rez-de-chaussée

Le sous-sol

Légende

- Gilbert
- Plan d'évacuation A
- Plan d'évacuation B
- Claudine
- Plan d'évacuation A
- Plan d'évacuation B
- Guy
- Plan d'évacuation A
- Plan d'évacuation B
- un détecteur de fumée

67

Au feu!

Chez vous, vérifiez si le numéro 9-1-1 est indiqué sur le téléphone. Si le numéro n'est pas là, écrivez le numéro sur l'appareil. C'est le numéro d'urgence en cas de feu.

Pour savoir quoi faire en cas d'incendie, pratiquez des exercices d'évacuation. Voici les règles :

1. Criez «Au feu!» s'il y a un feu.

2. Allez tout de suite à la porte la plus proche en marchant à quatre pattes.

La prévention des incendies

Assurez-vous...

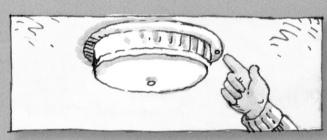

1. qu'il y a au moins un détecteur de fumée à chaque étage et deux au premier étage. Vérifiez que les détecteurs fonctionnent et sont propres.

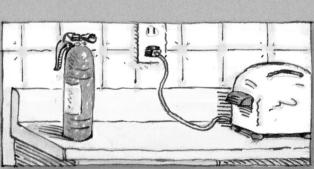

4. qu'il y a un extincteur dans la cuisine. Apprenez à utiliser l'extincteur.

5. que les enfants ne touchent pas un objet qui porte le symbole «inflammable».

3. Allez tout de suite au point de rendez-vous.

4. Téléphonez au 9-1-1 d'une cabine téléphonique ou de chez un voisin.

5. Ne retournez pas dans la maison.

2. que les fils électriques ne sont pas usés. Ne mettez pas de fils électriques sous les tapis.

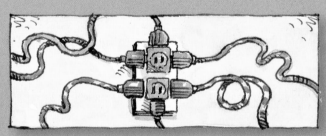

3. qu'il y a seulement une fiche dans une prise de courant.

6. qu'il y a toujours de l'espace de rangement sous l'escalier.

7. que les enfants ne touchent pas aux allumettes. Rangez les allumettes dans un endroit sûr.

L'arrivée sur la planète Terre

UN VAISSEAU SPATIAL ARRIVE SUR LA PLANÈTE TERRE. UN EXTRATERRESTRE EST DANS LE VAISSEAU. L'EXTRATERRESTRE S'APPELLE TOR.

TOR TRAVAILLE À SON ORDINATEUR.

VOICI LA PLANÈTE TERRE. BONNE CHANCE!

TOR S'HABILLE.

IL SORT DE SON VAISSEAU.

TOR ÉCOUTE. UN MONSIEUR SALUE SES AMIS.

BONJOUR, MONSIEUR. BONJOUR, MADAME.

TOR RÉPÈTE :
«BONJOUR, MONSIEUR. BONJOUR, MADAME.»

BONJOUR, MONSIEUR.
BONJOUR, MADAME.
BONJOUR, MONSIEUR.
BONJOUR, MADAME.

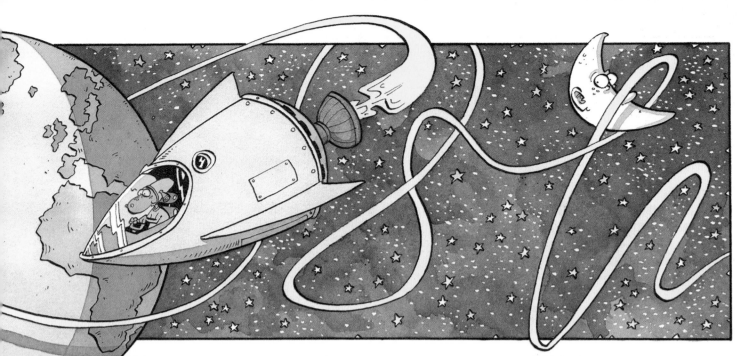

TOR MARCHE DANS LA VILLE. IL PARLE À UN GARÇON.

BONJOUR, MONSIEUR. BONJOUR, MADAME.

HA! HA! HA!

LE GARÇON RIT.

TOR PARLE À UNE FILLE.

BONJOUR, MONSIEUR. BONJOUR, MADAME.

PARDON?

LA FILLE EST SURPRISE.

TOR PARLE À UN LAMPADAIRE.

BONJOUR, MONSIEUR. BONJOUR, MADAME.

IL PARLE À UN CHIEN.

BONJOUR, MONSIEUR. BONJOUR, MADAME.

GRRR...

LE CHIEN SAUTE SUR TOR.

TOR COURT VITE. IL ENTRE DANS UNE ÉCOLE.

AÏE!

École Calgary

À SUIVRE...

71

Un extraterrestre à l'école

TOR ENTRE DANS LA SALLE DE CLASSE DE Mme LABONTÉ.

AH! VOICI LE NOUVEL ÉLÈVE. BONJOUR, FÉLIX. JE SUIS Mme LABONTÉ.

TOUT LE MONDE, NOUS AVONS UN NOUVEL ÉLÈVE. VOICI FÉLIX DUBOIS. FÉLIX EST D'EDMONTON. DITES BONJOUR À FÉLIX.

BONJOUR, FÉLIX!

BONJOUR, MONSIEUR. BONJOUR, MADAME.

VOICI TON PUPITRE. ET VOICI TES LIVRES : TON LIVRE DE MATHS, TON LIVRE DE SCIENCES, TON LIVRE DE FRANÇAIS, TON LIVRE D'ANGLAIS...

TU AS UN CRAYON ET UN CAHIER? NON?

LUC, DONNE UN CRAYON ET UN CAHIER À FÉLIX.

MERCI, LUC.

BONJOUR. JE M'APPELLE LUC.

MAINTENANT, ÉCOUTEZ, TOUT LE MONDE! IL EST 9 H 30. QU'EST-CE QU'IL Y A À 9 H 30?

LES MATHS!

OUI. ET AUJOURD'HUI NOUS AVONS...?

UN TEST!

VOICI LE TEST. VOUS AVEZ DIX QUESTIONS. VOUS AVEZ DIX MINUTES.

BONNE CHANCE!

À SUIVRE...

La visite de l'école

C'EST LA RÉCRÉATION!

JE VAIS À LA BIBLIOTHÈQUE.

PAS MOI. JE VAIS AU GYMNASE.

Bravo, Félix! 10/10 Test de maths!

LUC SORT AVEC TOR.

LUC, TU VAS AVEC FÉLIX?

BIEN SÛR, C'EST MON COPAIN.

TU VEUX VISITER L'ÉCOLE?

LUC MONTRE SON ÉCOLE À TOR.

REGARDE! NOUS AVONS UNE GRANDE BIBLIOTHÈQUE.

bibliothèque

ET VOICI LA CAFÉTÉRIA.

ICI, C'EST LE BUREAU. VOICI LA SECRÉTAIRE, Mlle FORTIN, ET LA DIRECTRICE, Mme GAVROCHE.

Mme Gavroche

Mlle Fortin

NOUS AVONS PLUSIEURS SALLES DE CLASSE. VOICI LA CLASSE DE M. ARNAUD. C'EST UNE CLASSE DE PREMIÈRE ANNÉE.

M. Arnaud

ET VOICI LA CLASSE DE Mme LEBRUN. C'EST UNE CLASSE DE TROISIÈME ANNÉE.

NOUS AVONS UN LABORATOIRE D'INFORMATIQUE AUSSI.

BIP! BIP! BIP!

ET VOICI LE GYMNASE. REGARDE! TOUT LE MONDE JOUE AU BASKET-BALL.

OH LÀ LÀ!

BRAVO!

FORMIDABLE!

À SUIVRE...

La leçon de musique

ELLE SALUE TOUT LE MONDE.

BONJOUR, MONSIEUR. BONJOUR, MADAME.

ELLE SERRE LA MAIN À TOUS SES AMIS. ELLE SERRE LA MAIN À SA COPINE.

ELLE SERRE LA MAIN À SON COPAIN.

ELLE TOURNE.

ELLE TAPE DES MAINS. BRAVO!

ET APRÈS? TOUT LE MONDE MARCHE. TOUT LE MONDE FORME UN CERCLE ET TOURNE. FORMEZ UN CERCLE ET TOURNEZ.

BON. LES NUMÉROS DEUX, CHANGEZ DE PLACE.

ALLEZ! TOUT LE MONDE CHANTE ET DANSE!

APRÈS QUINZE MINUTES, M. TARDIF ARRÊTE LA MUSIQUE.

BONJOUR, MONSIEUR. BONJOUR, MADAME. BONJOUR, MONSIEUR...

AaBbCcDdEeffGgh

OH!

À SUIVRE...

78

Racontez-moi!

AUJOURD'HUI, TOUT LE MONDE FAIT UN LIVRE POUR LES ÉLÈVES DE LA PREMIÈRE ANNÉE. TOUT LE MONDE ÉCRIT UNE HISTOIRE. TOUT LE MONDE FAIT DES DESSINS. BON. VOUS AVEZ DES IDÉES?... C'EST DIFFICILE, N'EST-CE PAS?

REGARDEZ. VOICI UN EXEMPLE. C'EST UN LIVRE QUE LES PETITS AIMENT BEAUCOUP. LE TITRE EST *MAX ET BOULE*. ÉCOUTEZ BIEN!

Max est le chien de Dominique.

Max aime Dominique. Dominique aime Max.

Tous les jours, Dominique joue avec Max. Max est son copain. Dominique court. Max court aussi. Dominique saute. Max saute aussi.

MAX, TU ES MON COPAIN.

OUAH! OUAH!

Dominique parle à Max. Max parle à Dominique.

Un jour, Dominique arrive à la maison. Il dit : «Regarde, Max. J'ai un nouvel ami. C'est un lapin.

Il s'appelle Boule. Regarde ses longues oreilles. Regarde sa petite queue. Boule est formidable, n'est-ce pas?»

Max est jaloux. Il dit : «Ouah! ouah!» Cela veut dire : C'est moi, ton copain. Ton lapin est horrible.

Max saute sur Boule. Boule court vite, vite. Il va dans sa cage.

Dominique dit : «Max, tu es jaloux? Tu es mon copain. Regarde pauvre Boule. Il est triste. Boule est mon copain aussi.

Max, dis bonjour à Boule. Boule, dis bonjour à Max.»

Maintenant, tout va bien. Max saute. Boule saute aussi! Max court. Boule court aussi! Dominique dit : «Et moi, je saute et je cours avec mes deux amis!»

Max dit : «Ouah! ouah!» Cela veut dire : Boule, tu es mon copain aussi.

Fin

Galaxécole

85

Le vent dans la ville.

La pluie dans la forêt.

Quel temps

La neige dans la forêt.

Le brouillard dans les montagnes.

Une tempête de neige dans les montagnes.

Un orage dans la ville.

fait-il?

Un ouragan dans la ville.

Une tornade dans la forêt.

«Un orage dans la ville»

Il pleut.
Le ciel est noir. [1]
Les nuages sont gris. [2]
Attention! l'orage arrive!

Le vent murmure, [3]
Puis il gémit. [4]
Il dit : Attention! [5]
Fermez les maisons! [6]

L'orage descend sur la ville.
Il est fort et violent.
Il chante avec ses amis, [7]
La pluie et le vent.

La pluie tombe sur la ville. [8]
Elle tambourine sur les rues. [9]
Elle pianote sur les toits. [10]
Elle fait un bruit comme ça!

Le vent hurle. [11]
Il rugit comme un lion. [12]
Il est furieux et froid.
Il fait un bruit comme ça!

Dans le ciel, le tonnerre [13]
Prépare son spectacle.
Il lance un éclair, [14]
Puis il explose; il roule;
    il gronde; il craque! [15]

La pluie

La pluie est douce.
Elle est timide.

La pluie est forte.
Elle est violente aussi.

Le vent

Le vent est doux.
Il est timide.

Le vent est fort.
Il est violent aussi.

Le tonnerre

Le tonnerre est toujours violent.

La météo

le samedi 18 avril

LES PRÉVISIONS POUR MONTRÉAL ET LES ENVIRONS

aujourd'hui
Maximum
15

Nuageux avec averses ce matin, quelques éclaircies et la possibilité d'une averse cet après-midi.

ce soir
Minimum
4

Nuageux avec éclaircies, très faibles averses dispersées cette nuit.

demain
Max./Min.
6/2

Nuageux avec très faibles averses parfois mêlées de quelques flocons de neige.

lundi
Max./Min.
8/2
Ciel nuageux avec éclaircies, venteux et frais.

Québec
Max./Min.
10/4
Aujourd'hui
Nuageux, pluie débutant en avant-midi.

Ottawa
Max./Min.
14/3
Aujourd'hui
Averses en matinée, quelques éclaircies en après-midi.

Toronto
Max./Min.
11/2
Aujourd'hui
Nuageux avec éclaircies, averses dispersées en après-midi.

Prévisions régionales

Val d'Or **Averses** 9/1

Chicoutimi **Averses** 7/3

La Tuque **Nuageux** 7/3

Maniwaki **Nuageux** 12/3

Québec **Pluie** 10/4

Sainte-Agathe **Averses** 13/4

Trois-Rivières **Averses** 11/4

Thetford **Averses** 11/3

Hull/Ottawa **Averses** 14/3

Montréal **Averses** 15/4

Sherbrooke **Averses** 13/4

Plattsburgh **Averses** 16/4

Burlington **Averses** 7/5

	aujourd'hui		demain	
Abitibi	Averses	10/2	Averses/Neige	3/0
Laurentides	Averses	13/4	Averses/Neige	5/1
Estrie	Averses	13/4	Averses	7/2
Mauricie	Averses	9/3	Averses	5/1
Lac St-Jean	Averses	7/3	Averses	5/0
Rimouski / B.Com.	Nuageux	6/3	Nuageux	7/2
Gaspé	Pluie/Nuageux	8/5	Pluie	7/3
Sept-îles	Pluie/Nuageux	6/3	Pluie	6/4
Baie James	Pluie	2/1	Neige	1/-4

Au pays	DEMAIN		Au pays	DEMAIN	
Iqaluit	Neige	-12/-18	Thunder Bay	Ensoleillé	14/2
Yellowknife	Nuageux	2/-5	Sudbury	Averses/Neige	3/-1
Whitehorse	Ensoleillé	4/-5	Rouyn	Averses/Neige	1/-3
Vancouver	Nuageux	14/6	Ottawa	Averses/Neige	5/1
Victoria	Pluie/Nuageux	14/6	Québec	Averses	6/1
Edmonton	Pluie/Nuageux	17/4	Moncton	Pluie	13/5
Calgary	Pluie/Nuageux	21/7	Fredericton	Pluie	14/6
Saskatoon	Pluie/Nuageux	18/5	Halifax	Pluie	14/6
Regina	Pluie/Nuageux	22/6	Charlottetown	Pluie	13/6
Winnipeg	Ensoleillé	19/4	Saint-Jean	Ensoleillé	14/0

Température	Max.	Min.
Hier :	20	2
Auj. l'an passé :	21	9
Moyenne :	12	1

Records	Max.	Min.
1973	24	
1943		-5

Neige (jusqu'à 14 h hier)
Ce mois-ci .... 22,4 cm
Ce mois-ci (normale) .... 5,5 cm
Hiver .... 273,0 cm
Saison (normale) .... 207,2 cm

Le soleil
6 h 07 — 19 h 42
Durée du jour : 13 h 35

La lune

18 avr.   25 avr.   2 mai   10 mai

Deux petits poèmes

La tempête de neige

Une tempête de neige
Roule dans les montagnes.
Elle hurle et gémit avec le vent.
Elle est blanche comme un
    fantôme.

La pluie

La pluie, douce et timide,
Marche tristement dans la forêt.
Elle arrose les feuilles.
Elle caresse les oiseaux
Avec des mains bleues et grises.

Mon pays, c'est l'hiver…

Gaston Rebry

La neige tombe sur la forêt

La neige roule dans des nuages gris.

Elle descend dans la forêt.

Elle caresse les arbres

Avec des mains frigides.

Elle habille les feuilles

De petites robes blanches.

Pauline Paquin

La neige tombe sur la ville

La neige silencieuse
Marche sur la pointe des pieds.
Puis elle dort, blanche et froide,
Sur les toits des maisons.

La poésie

Automne

Il pleut
Des feuilles jaunes
Il pleut
Des feuilles rouges.
L'été
Va s'endormir
Et l'hiver
Va venir
Sur la pointe
De ses souliers
Gelés.

Anne-Marie Chapouton

La pluie

Tip tip tip
C'est la pluie
Sur le toit.

Zip zip zip
C'est l'éclair
Qui rougeoie.

Boum boum boum
Le tonnerre
Cache-toi!

Corinne Albaut

Madame la Neige

Bonjour Madame la Neige
Vous venez du paradis et vous êtes belle
Vous habillez nos maisons
Vous habillez nos jardins
De blanches dentelles
Voyez, nous tapons dans nos mains
Car le froid nous pique
Car le froid nous pique aux doigts
Comme des aiguilles
Et nous pique aussi le nez
Tout rose et glacé

Paule Csillag

Vent

Vent qui rit,
Vent qui pleure
Dans la pluie,
Dans les cœurs;

Vent qui court,
Vent qui luit
Dans les cours,
Dans la nuit.

Maurice Carême

En danger de disparition

La baleine bleue habite dans les océans. Elle est bleue ou grise. Elle est très intelligente. Elle est belle. Elle est crustacivore : elle mange de petits animaux aquatiques.

La perruche de terre habite en Australie. Elle est verte. Elle est petite et belle. Elle est granivore : elle mange des grains.

L'ours de l'Inde habite en Asie. Il est noir, blanc et brun. Il est gros et fort. Il est omnivore : il mange des insectes, des plantes et des animaux.

L'éléphant habite en Asie. Il est gris. Il est gros et fort. Il est herbivore : il mange des plantes.

Le gorille des montagnes habite en Afrique. Il est noir ou gris. Il est gros et fort. Il est intelligent. Il est herbivore : il mange des plantes.

Le panda géant habite en Asie. Il est noir et blanc. Il est gros et fort. Il est herbivore : il mange des pousses de bambou.

Le fourmilier géant habite en Amérique du Sud. Il est gris, noir et blanc. Il est petit, mais il est féroce. Il est insectivore : il mange des insectes.

La tortue d'Hermann habite en Europe. Elle est grise et verte. Elle est lente, mais forte. Elle est herbivore : elle mange des plantes.

Le crocodile américain habite en Amérique du Nord. Il est gris ou brun. Il est gros et fort. Il est féroce. Il est carnivore : il mange des animaux.

Le tigre habite en Asie. Il est orange, blanc et noir. Il est beau et rapide. Il est féroce. Il est carnivore : il mange des animaux.

En danger... mais pourquoi?

Bienvenue au Parc des volcans!
Le gorille est protégé – chasse interdite.

Le gorille habite en Afrique. La forêt dans les montagnes est son habitat. Il est en danger de disparition. Pourquoi? On chasse le gorille. Aujourd'hui, on protège le gorille dans des parcs.

Le crocodile américain habite en Amérique
du Nord. Il habite dans les marécages en
Floride. Il est en danger de disparition.
Pourquoi? On pollue son habitat.
Aujourd'hui, on protège le crocodile. La
pollution de son habitat est interdite.

Le tigre habite en Asie. La forêt tropicale
est son habitat. Il est en danger de
disparition. Pourquoi? On chasse le tigre.
On détruit son habitat.
Aujourd'hui, on protège le tigre dans des parcs.

La baleine bleue habite dans les océans.
Elle est en danger de disparition.
Pourquoi? On chasse la baleine bleue.
Aujourd'hui, on protège la baleine bleue.
La chasse à la baleine bleue est interdite.

D'autres animaux en danger

le jaguar

l'aye-aye

le chacal d'Abyssinie

la baleine à bosse

le rhinocéros

l'ouakari rubicond

la panthère des neiges

le python indien

la grue blanche d'Amérique

le bison des bois

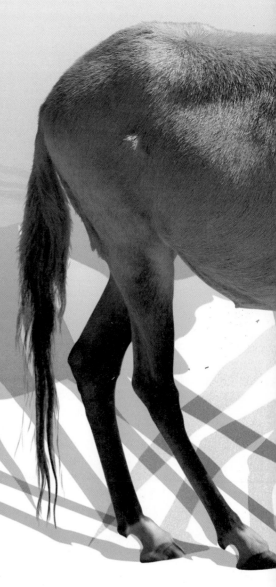

ces animaux ?

l'hippopotame pygmé
le petit singe-lion
la loutre géante
le loup à crinière
l'oryx d'Arabie
l'ocelot

Ani-monde

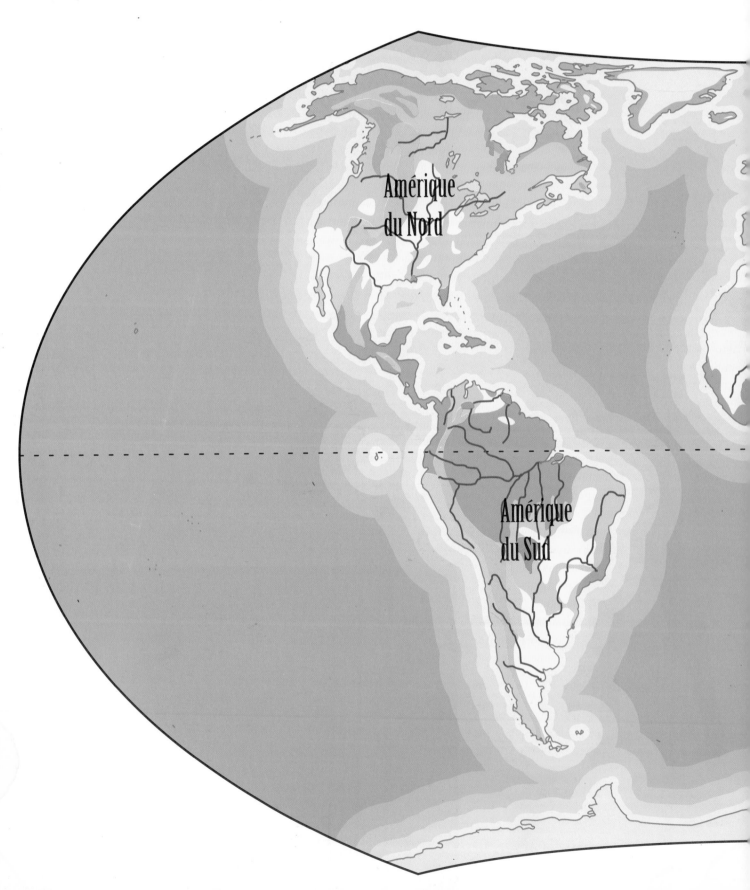

Amérique
du Nord

Amérique
du Sud

Légende

- des forêts
- des forêts tropicales
- des montagnes
- des plaines
- des marécages
- des océans
- des rivières
- des déserts
- des terrains secs et rocheux

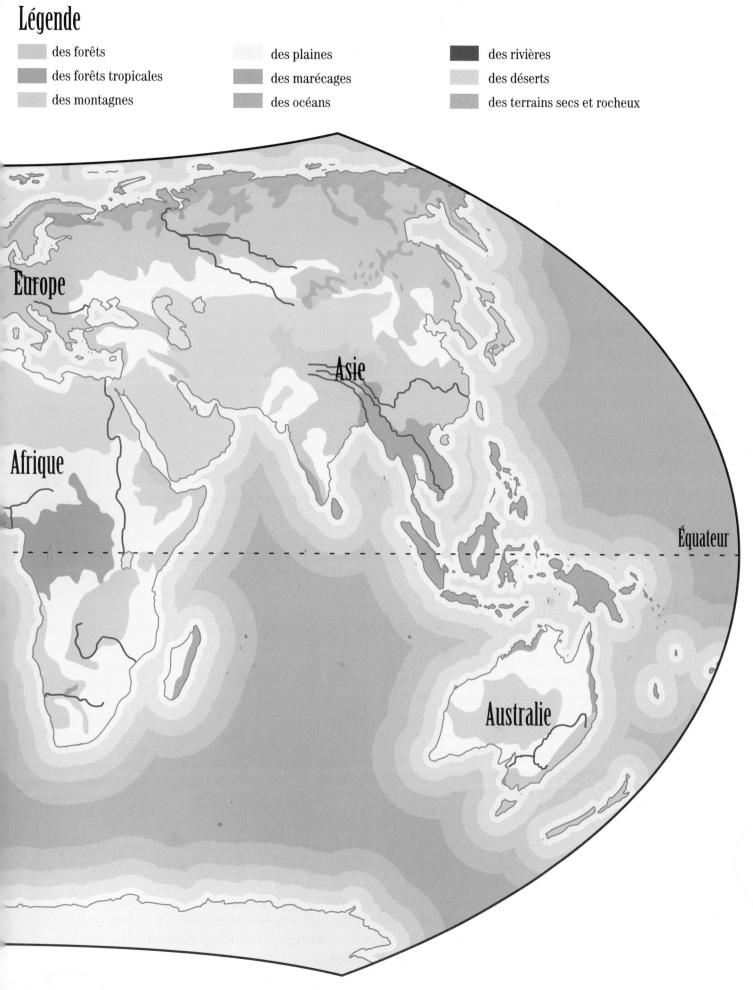

Europe

Afrique

Asie

Australie

Équateur

Espèces en
péril pour
1993

Ani-mania!

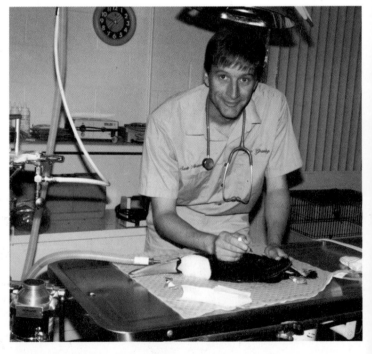

Jacques Cousteau est né en 1910 en France. Il est officier de marine, explorateur, océanographe et cinéaste. Son bateau s'appelle Calypso.

Clément Lanthier est vétérinaire au zoo de Granby, au Québec. Il vaccine les animaux. Il est aussi responsable de la nutrition des animaux. Son animal préféré est la girafe.

De bonnes nouvelles!

Le pélican blanc d'Amérique
Enlevé de liste (1987)

Le renard véloce
Baissé de liste (1992)

L'aigle à tête blanche
Baissé de liste (1994)

La belette à longue queue
Enlevée de liste (1993)

Remerciements

Illustrations

pp. 70–71, 72–73, 74–75, 76–77, 78–79, 80–81, 82–83, 84–85 : Steve Attoe; *pp. 16–17, 18–19, 26–27, 56–57, 58–59, 60–61, 62–63, 64–65, 98–99, 102–103 :* Graham Bardell; *pp. 42–43, 46–47, 48–49 :* David Bathurst; *pp. 38–39 :* Vicky Elsom; *pp. 22–23 :* Michel Garneau; *pp. 28–29, 30–31, 32–33, 36–37 :* Don Gauthier; *pp. 68–69 :* Kim LaFave, avec l'autorisation de Kids Can Press; *pp. 8–9, 14–15 :* Bernadette Lau; *p. 97 :* Pauline Paquin, « Dans un petit village », avec l'autorisation de Multi Art Ltée; *pp. 86–87 :* Andrew Plewes; *pp. 26–27, 108–109 :* Pronk&Associates; *p. 96 :* Gaston Rebry, « Symphonie Hivernale », avec l'autorisation de Multi Art Ltée; *pp. 40–41 :* Margo Stahl; *pp. 88–89, 90–91, 92 :* Marion Stuck

Photographie

pp. 27, 110 : David Michael Allen; *pp. 4–5, 6–7, 10–11, 12–13, 16–17, 18–19, 20–21, 24–25, 34–35, 36–37, 38–39, 45f, 52–53, 54–55, 66–67 :* Ian Crysler

Photos

pp. 16–17 : a) © Joe Devenney/The Image Bank b) Tourisme Québec c) © Burton McNeely/The Image Bank d) Anton Fercher/Société du Vieux–Port de Montréal; *p. 20 :* a) © Lyne Fortin b) © Lyne Fortin c) © Lyne Fortin d) © Lyne Fortin e) © Walter Bibikow/The Image Bank f) © Peter Miller/The Image Bank g) © Guido Alberto Rossi/The Image Bank h) © Gary Brettnacher/Masterfile; *p. 21 :* a) © Mike Dobel/Masterfile b) Tourisme Québec c) Tourisme Québec, © Ben Mitchell/The Image Bank d) © Joe Devenney/The Image Bank e) © Richard Simpson/Tony Stone Images f) © Don Klumpp/The Image Bank g) Tourisme Québec h) © Mark Tomalty/Masterfile; *p. 41 :* Raymond Blanchette; *p. 44 :* a) Van Koningsveld b) © Rafe Tomsett c) Major Mike Minnich/Forces canadiennes d) NASA e) Agence spatiale canadienne f) Agence spatiale canadienne; *p. 45 :* a) Luc Champagne b) © Clark Photographic Ltd c) © Ted Grant/Masterfile d) Agence spatiale canadienne e) Agence spatiale canadienne g) Ministère de la Défense nationale h) © Ralf Schultheiss/Tony Stone Images; *pp. 50–51 :* NASA; *pp. 52–53 :* © Jack B. Newton/Masterfile; *pp. 58–59 :* © Nick Boothman/Masterfile; *p. 94 :* © Paul Chesley/Tony Stone Images; *p. 95 :* © Charles Krebs/Tony Stone Images; *p. 100 :* a) © Michael Dick/Animals Animals b) © Leonard Lee Rue III/Animals Animals c) © Flip Nicklin/Minden Pictures d) © Marshall Sklar/The National Audubon Society Collection/Photo Researchers Inc. e) © Betty Press/Animals Animals f) © Michael Dick/Animals Animals g) © John Chellman/Animals Animals; *p. 101 :* a) © Zig Leszczynski/Animals Animals b) © Michael Dick/Animals Animals c) © Anup Shah/Animals Animals; *p. 102 :* © Bruce Davidson/Animals Animals; *p. 103 :* a) © Stan Osolinski/Oxford Scientific Films/Animals Animals b) © Anup Shah/Animals Animals c) © Flip Nicklin/Minden Pictures; *p. 104 :* a) © Johnny Johnson/Animals Animals b) © Dr Nigel Smith/Animals Animals c) © Konrad Wothe/Oxford Scientific Films/Animals Animals d) © Owen Newman/Oxford Scientific Films/Animals Animals e) © Betty K. Bruce 1993/Animals Animals; *p. 105 :* a) © Gerard Lacz/Animals Animals b) © Robert A. Lubeck/Animals Animals c) © E.R. Degginger/Animals Animals d) © Jerry Cook/Animals Animals e) © Michael Dick/Animals Animals; *p. 106 :* a) © Zig Leszczynski/Animals Animals b) © Bates Littlehales/Animals Animals c) © Ken Cole/Animals Animals; *p. 107 :* a) © Robert Maier/Animals Animals b) © Jim Tuten/Animals Animals c) © Michael Dick/Animals Animals; *p. 110 :* a) UPI/Bettmann b) Société zoologique de Granby; *p. 111 :* a) © Adrienne T. Gibson/Animals Animals b) © Mickey Gibson/Animals Animals c) AP/World Wide Photos d) © Ray Richardson/Animals Animals

Documents

pp. 6–7 : Avec l'autorisation de Pizza Hut Canada. Pizza Hut™ est une marque déposée de Pizza Hut Canada; *p. 27 :* Tourisme Québec; *pp. 68–69 : Canadian Fire Fighters*, Paulette Bourgeois. © Paulette Bourgeois, 1991, pour le texte. © Kim LaFave, 1991, pour les illustrations. Illustrations reproduites avec l'autorisation de Kids Can Press Ltd, Toronto, et de l'artiste. Texte français traduit par Dominique Chauveau, reproduit avec l'autorisation de Scholastic Canada Ltd, Richmond Hill, Ontario; *p. 98 :* a) Anne-Marie Chapouton, extrait de *Poèmes petits*, Éditions de l'École b) Corinne Albaut, extrait de *Contemimes n° 1*, Éditions Corinne Albaut; *p. 99 :* a) Maurice Carême, extrait de *Le moulin de papier*, Éditions Fernand Nathan, © Fondation Maurice Carême b) Paule Csillag, extrait de *Jardins enchantés* dans *L'Encyclopédie poétique, vol. 17 : Les Saisons*, Jean Grassin Éditeur, Paris-Carnac; *p. 110 :* WWF/Fonds mondiale pour la nature

Les éditeurs tiennent à remercier toutes personnes qui se sont prêtées à nos séances de photo et les personnes et organismes suivants : City of Toronto Fire Department, Les Snowbirds, WWF/Fonds mondial pour la nature et les élèves de cinquième année à Jackman Avenue Public School.

Les éditeurs ont tenté de retracer les propriétaires des droits d'auteurs de tout le matériel dont ils se sont servis. Ils accepteront avec plaisir toute information qui leur permettra de corriger les erreurs de références ou d'attribution.